KB016133

세상 말랑한 내 시간들,
맹고

How soft my hours are,
mango

세상 말랑한 내 시간들,
맹고

How soft my hours are,
mango

prologue

동시,
아이를 되돌아보는 어른과 어른을 바라보는 아이.

Time for poem,

looking back as child and being like grown up.

contents

RED,

실수한 것 알고 있어요

ㅇ
그래 사과야, 매력적인 색깔에 반해서
과즙이 흐르지 않음을 생각 못 했어
아직 풋풋한 당당함이 조금 부럽다

그래 사과야, 빠알갛게 뽐내는 모양새
형식이 흐트러져도 달콤함은 유지해
지금 아니면 안 된다는 모습 닮고파-

o

언제부터 지켜보았던 걸까?
주의 깊은 주름진 인상을 한 경고문

처음부터 바라보았던 걸까?
열정 담은 열의에 가쁜 두 줄 경고문
불법을 행한 일이 민망하지도 않나…
경고는 치열한 소음만 가득하다

방- 팡?빵!----

'주차는 주차 구역에 골목길은 세상 부드럽게'

o

흔들흔들 초침 줄넘기
완성되어가는 일 대신
늘어나는 목, 기린 되어간다

헐떡헐떡 시간 널뛰기
만족 이루는 과제 대신
튀어나온 눈, 빨간 올빼미다

하루가 바래도 하루가 늘어나는 마법
언제 24시 뛰어넘을지
하루가 꺾여도 오늘이고… 또 오늘!
충혈이 된 몸으로 주문 외워본다-

지랄하다지랄하다지랄이다!

o

A giant elephant cries loudly on the road
Yelling as loud as it could, urgently

Whole nature surprised and pause the load
Help, help! Help, help for sincerely

A massive fire screams for red elephant truck
Control as fast as it could
-Put out a chaos, red truck!

○

Don't want to talk about beautifulness
Farewell is stronger than hello, maybe like roses

Somehow want to talk about faultiness
Picky words grow to replay very first hello,
                    to bloom red roses

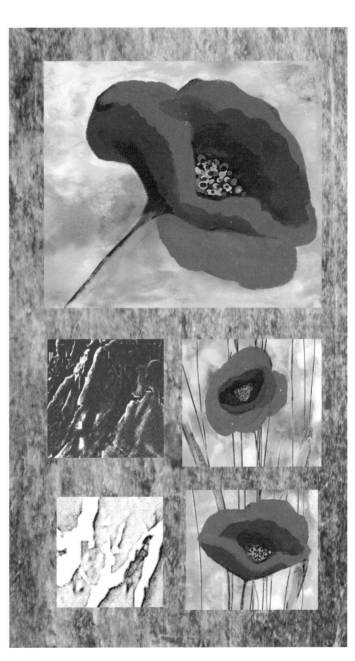

ORANGE,

무서워서 훌쩍 울었어요

○

칙-
살아 숨 쉬는 것 같은 느낌
필요할 때 나타나 주는 맥주
그렇게
흰 거품 위
마음을 실어본다

크-
거품 샤워하는 듯한 느낌
지침을 걷어가는 맥아 에너지
현관에
신발 던져지면
격하게 반겨준다

○

Need some-thing for bright orange
cause conversations
feel like deep night and dried

Find some effort for best flame
since imagines
have been ready to become inspired

So what was the last word?
Let's start from that tiny winy

Need some laugh like bright orange
cause comedies
lost in huge mess and drowned

○

주황 네온에게,

찐 어지러움 몸 간지럽혀 공감할 것 하나 없다
연락처 돌리는데…
구름이 가득한 마음에
이런 상황에
주황 무드 등 같은 너 찾고 있어

비슷한 간판들 눈 괴롭혀 다 하얗게 웃겨서 하하
도대체 뭐 하는데…
심심함 폭발한 거리에
이런 상황에
형광색 이름 칠한 너 보고 싶어

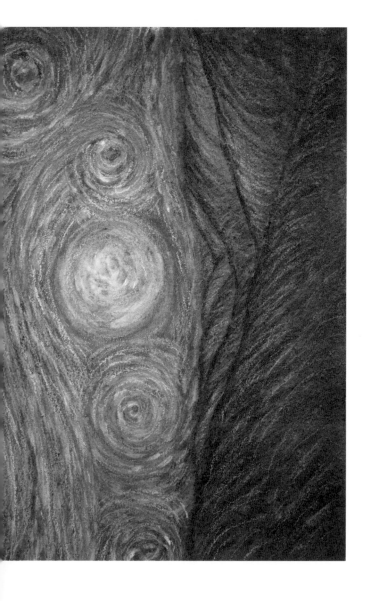

○

An evening glow wraps sky scene,
what a huge present like a marmalade scone!

○

검 갈색 같은 설익은 시간만 기다렸다
어느 때보다 달콤한 계절
낙엽을 밟으면서 리듬을 만들어간다

스아스아 참치 츠츠 칙기 타닥
스아스아 참치 츠츠 칙기 타닥-
낙엽을 밟으면서 뮤지컬 속에 물든다

스아스아 참치 츠츠 칙기 타닥
스아스아 참치 츠츠 칙기 타닥-
풍경이 춤추면서 참아낸 눈물이 운다

YELLOW, 가벼운 장난이 필요해요

○

세상 말캉함 가진 망고 맹고
쏘옥 손가락 사이로
잠시만 천진난만하게 놀고 싶…

살얼음 녹은 달달 빙수 맹고
쏘옥 이빨들 사이로
권태로움 바보스럽게 쩔뚝댄다

급체했던 이별 자세 고치고
푸욱 한 숟가락
세상 말랑한 내 시간들 맹고

○

Yellow
computer file
packed
Heavy
work-load file
exploded

Click click- Saved and forgotten effort
Shall treat it cute for more than ever

Yellow
hard-work file
need
fresh breath and compliment

Clap clap- Saved and forgotten heart
Stays lone, shall store it better for ever

○

하늘이 노랗게 빙글빙글 돌아
한숨처럼 쉬고 싶어 쓰는 시다
개연성 없이 쏟아붓는 거짓들
진실의 해명이 마음을 수그린다

코끼리 코 열 바퀴
그리고 하늘에 삿대질
다시 해볼까?
코끼리 코 십 바퀴

억울해 지껄여야 썩은 낱말들
정화된 공기로 불어오지 않을까?
먹구름 둥글게 불안함을 안아
괜찮지 않음을 함께 하는 시다

○

Hoola hoola, come enjoy the dance
Relax and be lazy with the groovy wave,
feel, please don't mess 1, 2 groove

Hoola hoola, dive into the dance
Twist to be squeezy in the funny tube,
see, don't 'quack-quack' 1, 2 vibe

○

봄기운 만연할 때 만나는 개나리
아직 옆구리 시린데,
넌 왜 싱그럽게 피어났냐
나의 계절에 좀 맞춰줘 개나리

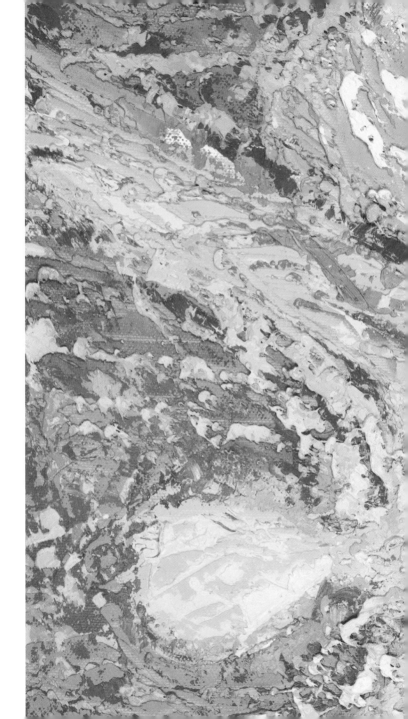

BLUE,

놀다보니 조금 괜찮아요

o

Blue Lemonade power up cooool energy
Cheers to disappointments! In one breath and second
Goose bumps pump up fuuuull energy,
gulp this drink in one breath and- pop!

Want that indeed, Blue Lemonade, fill my glass

o

Depth of sorrow like the ocean,
yet young and wild so try different acting

Width of faith like big wave,
there young feel small but keeps on surfing

Some-where to where, no purpose and sink-

Okay to take time in that thinking ocean,
sorrow is tiny piece for breathing

o

뜨거운 태양 특보 알려올 때
성급히 과열된 하늘을 올려본다
너에게 전하고 싶은 고백
뜬금없이 내게 비를 퍼부어주라

살갗이 익어 호흡 가빠질 때
차분히 부서지는 파도 기억해본다
수천 번 전달 못 한 고백
하염없이 부푼 내 마음 잡아주라

텁텁함 밀어낼 틈 한 번만이라도…
아 시원타-

o

자유로워 뭐든 될 것 같은 느낌
죽어 있던 청바지 입고 일탈, 오랜만입니다
야이야이야-

반듯한 선 잠시나마 구기는 재미라고
토라진 마음 위해 복수하는 재미라고
번듯한 돌진 본능 되찾아가는 거라고
시원한 바지 입고 오늘만은 즐기자고
야이야이야-

쩍벌해도 되는 텅 빈 벤치 느낌
수면하던 다른 자아로 일탈, 다녀오겠습니다!
야이야이야이야-

o

믿음의 트로피 되어 주기를
창백한 낯빛 가려 주기를
꺾이지 않고 피고 지고 피어나려무나
기도하며 마음에 수국 심는다

BLACK, 잠시만 쉬어가도 되겠죠

O

너를 쓰려고 했는데 뚝 부러졌다
그리워하려고 했는데 감정 끊겼다
그래서 쿨하게 일기장 덮고
아무렇지 않게 다시 연필심 가다듬는다
너를 향한 마음은 항상 오류였다

우리 쓰려고 했는데 뚝 사라졌다
사랑하려고 했는데 실수가 됐다
모두 서툴게 마음을 주지만
이번만은 정말 노력했다고 생각했는데…
나를 위한 마음이 항상 오류였다

애초부터 너는 잘못이 없던 것 같아
나의 거짓된 진심들 사과하고 싶다

o

I MY ME

Sunglass covers trembling fear,
the eyes which wish to run run away
Would desperate voices hear?

For sure, I have done a great job

I MY ME

Sunglass covers trembling fear,
the eyes which wish to run run away
Should know embarrassing tear,
the confidence needs to come back home

FOR
MYSELF!

○

주광색이던 새벽 4시 어두컴컴해
반강제적 수면 상태로
두 눈만 어쩌지 못한 채 껌뻑 껌뻑

소음뿐이던 새벽 5시
가전들이 죽은 먼지로
숨죽인 공기만 마지못해 둥실 둥실

혼자 싸우던 시간 정전에 항복해
울어도 괜찮은 조건으로
극적인 빛 기다린 채 훌쩍 훌쩍

○

Take care of scribbles or else
true heart might be revealed
Kind Kid vs. Dangerous Kid

Hand writing be mess in false
so hold the line permitted
Bad Kid vs. Hilarious Kid

Straight line isn't the right promise
but words show true own heart,
Good Kid :)

○

꺼진 모니터,
너를 보는 게 아니라
너가 지켜보는 거지
꼬인 실타래 보느라
답답한 거 다 알지
그러니
머릿속에서도 로그아웃해 주라
너를 보는 게 아니라
그냥 검게 그을린 거지
쌓인 불쏘시개 보느라
답답한 거 다 알지
그러니
안녕

PURPLE,

이별이 다가와 인사해요

○

9회 말 2아웃 히어로가 되어 줄래?
역전의 홈런, 주인공이 필요할 때
응원의 물결이 보라 파도를 일으킨다

강력한 하나, 기회가 절실할 때
벗어난 공들은 긴장된 대치 비웃고…

가다듬는 자세와 마음 집중될 때
멀리 날아가는 홈런, 보랏빛 수 놓는다
9회 말 2아웃 히어로가 되어 줄래?

O

Now be delicate to get enough

Pour the most favourite smoky wine
Take time to look adorable colour of rim
Swirling, swirling and smelling-
breathe in all that best mood of wine

What tasted bitter transform fine enough

O

보라색 패딩 속에서 유혹적인 계절
부푼 옷만큼 몸무게 증량되는 겨울
호오-떡, 어어-묵,
붕어-빵, 찌인-빵!

o

In the pouring rain,
listening to Rihanna's song
Umbrella is heavy though
could stand still with this humming

Every minute is changing
variation is going tough
Better put on purple lipstick, charming

Would enjoy slow grooving
Umbrella is heavy though
won't lose own step at dancing

In the pouring rain-

○

바람에 흔들리는 꽃잎이 별로이다

미주알고주알 말하고 싶어도
감동이 없어서 진부해지니까
그 꽃잎 아무래도 팔아야 하겠다

계절에 침묵하는 튤립은 아는 걸까?

이제나저제나 기다린 개화도
꽃잎의 영원 생각을 해보니까
작은 말 모양새를 찾아야 하겠다

바람에 흔들리는 꽃잎이 별로이다

BROWN, 허전해서 뚜벅 걸었어요

○

Sitting in the bench recalling
last true autumn leaves
Aw, thoughts swell to explode
whining sick love memories

Staring the sky and replaying
last true autumn leaves
Weirdo, desire would not hide

Better find right moments
to escape dying sour autumn

Before becoming this bench…

○

그래 시나몬, 매력적인 향기에 취해서
표면이 부드럽지 않음을 생각 못 했어
아직 거칠은 경계심이 조금 부럽다

그래 시나몬, 갈색 나뭇가지 모양새
질서가 흐트러져도 향기는 유지해
한결같았던 기준점들 다시 찾고파-

○

바람에 어질러진 어제의 우리들
쌀쌀함 덮어줄 틈새 없으니
다가온 보름달과 인사해야겠지

내일이 진지해진 마음의 시간들
예고한 운명이 조금 가까이

한 발자국,
두 발자국

사색은 그만하고 결정해야겠지

기분에 헝클어진 공포의 닭살들
유령설 증거할 진실 없으니
진해지는 계절에 물들어 가겠다

○

History stopped in the brown frame,
where have twenty-five and sixty years have gone?

Don't hesitate for picture
Just come back home-
fresh start will always wait here

Fairy ended in the brown frame,
where have twenty-five and sixty years have gone?

When exhausted at anxiety,
just come back home
It's time for Thanksgiving party

○

억한 심정 누르고 말 거는 억새
억한 다툼 이제 시시해 보인다고
끝말잇기나 하제-

억새 - 새참 - 참조 - 조심 - 심연 - 연기 - 기지 - 지름- 름?!

억새 - 새해 - 해금 - 금빛 - 빛?!

GREEN,

빛나는 순간을 찾아봐요

○

탁한 먼지를 걷어낸 에메랄드 호수
미련하게 번진 맑음에 미안해져
바빠서 플라스틱 사용한 거 반성한다

투명한 빛을 지켜낸 에메랄드 호수
고요하게 강한 자연에 작아져
귀찮어 요란스레 난리 친 거 인정

보석에 동화되려면 잘못들 고쳐
뼈저리게 가꾼 마음으로 돌아오겠다
여기로,
색깔 이름을 수상한 아름다운 순수

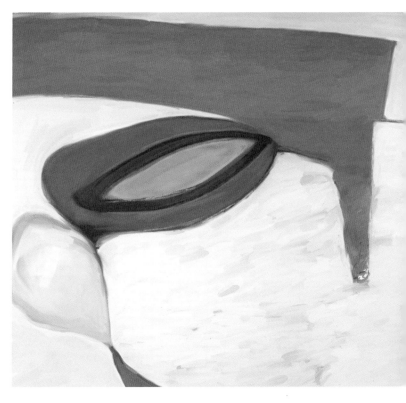

○

흔들어 주세요 익었는지 아보
푸욱 숟가락 가득히
하루만 만족스럽게 놀고 싶…

흔들어 주세요 물렀는지 카도
푸욱 느끼함 대신에
생생한 휴양지로 비행기를 띄운다

○

Driving, driving low speed
Eyes astonish at fantasy of trees, greens
Charged city can't fulfill future speed,
so slow down for the greens
Imagine that better sceneries

Riding, riding slow indeed
Touches wish more story of forest, greens
Powered rule wouldn't satisfy our need,
so calm down for next level
Fantasy make another sceneries

O

It's afternoon coffee break
Apple mint placed beside the scone,
stoles away all that tiny bleak

There's a humming bird
Apple mint planted on the zone,
where your lip waits my word

Confession of secrets are still weak
Just say,
I want to be with your painful world

○

설익은 잎새에 감탄할 때가 있다
　짜증이 치올랐을 때
　과제들이 쌓였을 때
　낮잠이 기어오를 때
예전에 잎새와 같은 때가 있었다
　옹알이 반복했을 때
　첫걸음마 뗐을 때
　싱그러운 살갗일 때

오히려 초록색을 피웠었는데
생글생글 잎새에 감탄하고 있다-

WHITE, 순수하게 상상 펼쳤어요

○

A white shirt-
Closed up buttons till neck top,
what are you expecting?
Again, this kid missed success but
effort knows everyone's timing

A white shirt-
Hard time by living like pop,
what are you thinking?
Ironed prayer has waited starry night
to shine own timing

Perfect maketh a white shirt

o

바이러스 마스크 밖에 가뒀다
어쨌거나 기침 예방한 건데
마스크 속에서 스무고개 하다 후욱
하얀 느낌 온데간데 사라졌네
편한 대로 마스크 내리지 맙시다

바이러스 마스크 밖에 가뒀다
저쨌거나 심한 독감인 건데
너무나 반가운 친구를 만나다 후욱-
시원 청량 배경들이 구겨졌네
앞으로도 이어질 이야기

하얗게 하얗게 살아갈 겁니다

○

Flying with the light cloud,
the time has come for wings
Heavy stress is vanishing by wind
Trying to remember the good things,
when there's nothing furious

○

긴장을 하니까 아무 말 뱉은 거지
그러다 아-차, 다시 주워 담고 싶다

시간 흘러가니 다음 달 있는 거지
그런데 에-효, 그 숫자 지우고 싶어
지금 수정 테이프 사러 뛰어가겠다

열심히 하니까 아무 말 적힌 거지
그러다 지-랄, 오타가 오타를 오타가…

피로 물들어야 뼈 같은 과제 답지
그런데 시답지 않게 시 같은 욕 해서
당장 그 말들부터 수정 필요하겠다

○

흰 꽃잎의 재스민 따며

　비가 오는데 허리 안 쑤시게
　버스 타는데 잔액 남아 있게
　신상품 사는데 줄 짧게 서게
　점심 메뉴를 한 번에 고르게
　햇빛 세는데 구운 계란 되지 않기를

순수한 바람을 중얼거린다

GRAY,

덧나는 상처도 이해해요

○

포근하고 저렴한 회색 가방을 구입했다
하얀 수정 테이프, 검은 연필을 담고
보라색 책 넣으며 파란 수국 책갈피
발견하고 뭐가 좋다고 활짝 웃어버렸다

○

The clouds lost major self-control
Go wear rain coat, rain boots
and what else would be needed?

Splash!

The heart forgot deep mind control
What a day with dancing thunders
and fluffy dark gray clouds

Splash, splash! Drip drop, drip drop-

It is today to plan next steps
and drown what is stressed

Pour more, let's enjoy this breakdown!

O

Gloom on your eyes
has missed special events
There's an odd stone
which hears your long story way

Please use me whenever you want

Someone on your hands
could stand along difficulties
Throw me far away
I shall come back then say

It's good to be a stone for you

○

씨멘트씨,
사고 없이 달리기를 바랍니다
울퉁불퉁하면 손해배상 알고 있죠?
자동차가 고속도로인지 고속도로가 자동차인지-

휴식 없이 달리기를 원합니다
정체되면 바로 보험사 부를 거예요
자동차가 자아인지 자아가 자동차인지-

합의 어렵지만 연락은 기다릴까 해요
시원하게 의견 조율해 줄 거라
일단 의심 걷어가 보겠습니다

○

차가운 바람에 얼어버린 자물쇠
사랑의 약속을 굳게 채웠지만
허기진 매일은 왜 책임이 필요할까?

복잡한 미로에 잃어버린 열쇠
믿음의 말들은 점점 쌓였는데
서로는 서로에게 더 미안해하는데

너와 나는 잘못이 없다고 하자

사랑한 순간에 멈춰 있는 자물쇠
애써서 찾아가 풀려고 했지만
서로가 그럴 수 없음을 알아 버렸다

epilogue

괜찮은 감정은 어떤 색깔을 지닌 것일까요?
힘든 일에 덤덤히 '괜찮아'라고 제 마음을 달래고
또 좋은 일에 무심히 '괜찮아'라고 표현을 끝내며
다른 감정들은 어디로 도망간 건지, 저는 찾고 싶어졌어요.
뛰는 심장은 어떻게 표현할 수 있을까요?
일기로 제 마음에 낡은 오늘의 안부를 물어보고
편지로 아끼는 상대에게 사랑의 무게를 달아보던
여러 방법이 이제는 사라졌는지, 문득 궁금해졌어요.
독자분들도 초성으로 쓴 감상문에 익숙해져 자아와 감정이
권태기를 지나고 있다면,
동시라는 문학적 계기가 필요할 거예요.
긴 서정시 닮은 하루 끝에, 간단하고 솔직한 이야기로 재미를
되찾게 되기를 바라요.
욕하고 싶으면 욕하고 사랑받고 싶으면 사랑하는
이 어른 동시집을 독자 여러분에게 선물로 보냅니다.

What colour does feeling show when fine?

I wondered where all the 'feelings' have gone

because the hard tasks are big trouble to overcome

and good things doesn't look positive any more.

Which words can make heartbeat shine?

I questioned if all the 'expressions' have vanished

because the daily diary now became a past tense

and sincere letters are hard to reach love.

If ego and feeling, each other, are having a hard time with

meaningless short text, you will need a kiddy poem.

I'm sending poetic words as a present to readers,

so please cry loud and love hard with this book.

Hope that all of you will want and find this book,

short and frank story,

at the end of your exhausted day.

마지막으로 저의 가장 가까운 분들께 감사 인사를 드리고 싶어요.
괜찮은 감정이 괜찮은 건지 생각하게 해준 지아,
내일의 꿈이 아름답기를 바라요.
절벽에 서서 깊은 바다를 바라보는 아이,
저의 이름을 매일 불러주셔서 한 번씩 뒤돌아보게 해주시는
부모님 고맙습니다.
또 그런 저를 붙잡아주시고 책을 위해 애써주신 꿈공장플러스의
모든 분께 고맙습니다.

세상 말랑한 내 시간들, 맹고
How soft my hours are, mango

2021년 10월 25일 초판 1쇄 발행
2021년 10월 25일 초판 1쇄 인쇄

지은이　　　｜　소선 (So Sun)

책임편집　　｜　송세아
편집　　　　｜　이혜리, 안소라
제작　　　　｜　theambitious factory
인쇄　　　　｜　아레스트

펴낸이　　　｜　이장우
펴낸곳　　　｜　꿈공장 플러스
출판등록　　｜　제 406-2017-000160호
주소　　　　｜　서울시 성북구 보국문로 16가길 43-20 꿈공장1층
전화　　　　｜　010-4679-2734
팩스　　　　｜　031-624-4527
이메일　　　｜　ceo@dreambooks.kr
홈페이지　　｜　www.dreambooks.kr
인스타그램　｜　@dreambooks.ceo

ISBN　｜979-11-89129-97-2

정 가　｜11,500원